저자소개
명상철학가

저서
「마음과 자연과 사색에 대하여」

삶과 사색에 대하여

발 행 2015년 08월 10일
저 자 박찬우
펴낸곳 주식회사 부크크
주 소 부천시 원미구 춘의동202 춘의테크노파크2차 202동 1510호
전 화 (070) 4085-7599
E·mail info@bookk.co.kr

ISBN 979-11-5811-266-0

www.bookk.co.kr

삶과 사색에 대하여

박찬우

목   차

생각을 내어 모으니

생각을 내어 모으니
책이 되어 진다.
지은이가 없는 생각만 내어 보인다면
그냥 지나가는 바람인 것을
책을 만들어 머물고 있다.

2015년 6월 백마산에서

제1장 마음에 대하여

겉모습이 나일까?

사방에 놓여있는
분신들을 모아본다.
외부에서 만들어진 것들뿐이다.
그렇게 퍼즐과 모자이크
된 것을 나라고 한다.
그것들은 나의 외곽을
감싸고 있는 포장지일 뿐이다.

가장 가깝고도 먼 여행이란

아마도 마음을 찾아가는
여행일 것이다.
내안에 있으니
거리상으로는 가장 가깝다.
그러나 또한 먼 여행이다.
마음은 우주와 닮아 있어
머나먼 허공까지
가야하기 때문이다.

마음을 빼앗겼다고 하지만

어떤 대상이나 사물에
관심을 집중하다 보면
우리는 그 사물에
마음을 빼앗겼다고 한다.
그러나 이는 마음의 시선이 그곳에
관념적으로 가 있는 것 일 뿐이다.

세상이 나를 슬프게 할까

힘들고 어려울 때에
세상이 나를
슬프게 한다고 말한다.

잘 헤아려 보기 바란다.
생각 보단 적은 사람들만이
나를 힘들게 하고 있을 뿐이다.

나의 마음은 타오르는 불꽃

나의 마음은 허공이요
끊임없이 타오르는 불꽃이다.
그 불꽃은 혼불 되어
저 멀리 타오르는
태양과 하나가 된다.

마음은 자유로운데 1

마음은 자연 속에서
자연으로 태어났기에
이미 자유로운 마음인데
더욱 자유롭기 위하여
어디엔가 누구에게로
마음을 담보로 맡긴다.

마음은 이미 자유로운데 2

마음이란 형이상학적 개념으로
어떠한 담보가 될 수가 없기에
결국 몸을 맡기는 모습이 된다.
몸이 담보되어진 마음 또한
스스로 자유롭지 못하게 된다.

마음은 이미 자유로운데 3

마음과 몸이 자유롭지
않다고 느끼는 것은
단 한발자국도 사람들에게서
시선을 벗어나지 못한 결과이다.
마음은 내안에 있으며
이미 우주와 자연과 하나가
되어 있음을 알아차리기 바란다.

마음의 크기는 콩알만 하면서도

마음의 크기는
콩알보다도 작으면서
사용하는 단어들과 언어는
지구를 다 덮고도 남는다.
그러니 세상의 곳곳에서
콩 볶은 소리가 요란하다.

마음이 갈팡질팡 하다는데

마음이 갈팡질팡 하는 것이 아니라
계획이 분명하지 않고
불완전한 것일 것이다.
계획에 관한 부분을 차분하게
다시 점검하여 보기 바란다.
마음은 계획에 대해 걱정하여
주고 있을 뿐이다.

마음이 부자라고 한다면

마음은 부자와 가난이라는
단어의 대상이 아니다.
마음은 자연과 닮은
형이상학적 개념일 뿐이다.
몸속에 있다 해서 형태로 있는 것이
아니기 때문이다.
다만 마음속에 욕심이 왔다 갔다
하는 것일 뿐이다.

마음을 그릇으로 만들었다면

마음을 비우라고 한다.
마음을 그릇으로 본 것이다.
기왕에 그릇으로 만들었다면
그 속에 자연을 담아 보라!
자연 속 아름다운 곳
아담하고 편안한 사색 고운 집
그 집이 마음의 집이 되도록 하여보라.

비가 오는 날은

비가 내리는 날은
기운이 내리 앉는다.
마음 또한 우울 해질 것이다.
답답한 마음들을 모아서
마중물 되게 하여 보라!
비 오는 날은 세상만 씻기는 것이 아니라
내 마음도 씻기는 날이기 때문이다.

내 마음에 소유할 수 있는 것은

세상의 모든 것은 밖에 있다.
내안에 소유할 수 있는 것은 없다.
비록 소유한다 해도 문서뿐이다.
소유하고 싶어 하는 마음이 있을 뿐이다.
그것은 소유욕으로 사물에 머물러 있다.
나는 이미 자연의 품안에 소유되어
살고 있었음을 알아야 한다.

혼자만 살아온 마음이란

모든 세월과 공간을
자기만의 살아온 세월로
자기 마음에 가득 채워 이야기 한다.
주변에 있는 이가 어떤 생각과 마음을
갖고 살아오든 자기 마음만의 판단에 따른
행동만으로 살아간다.
정말 혼자만 살아온 사람이다.
오늘도 그는 무인도에서 자기 마음대로
혼자 살아가고 있다.

이성을 가지고 있다 해도

자기만을 위한 이성만 가지고 있다면
이는 자기감정이란 틀에서
자유롭지 못한 마음이다.
이 말은 어떠한 사물을 판단할 때
객관적 기준으로 판단한다고 하지만
결국은 자기의 신념과 가치관에서의
기준으로 본다는 뜻이다.

이성다운 이성이란

보편적 가치기준에
맞은 이성이라 한다.
자기의 신념이나 가치관에
입각한 것이 아니라
인간다움을 위한
순수한 감정의 마음일 때
작동하는 이성을 말하는 것이다.

살아 있는 것은 다 행복해라 하는데

"살아 있는 것은 다 행복해야한다"
라고 말하는 의미보다
"살아 있는 것만으로 행복하다"
라고 말할 수 있다면
최소한 행복하기 위해
더 불행해 지지는 않을 것이다.

멈추어서 보이는 것이란

바삐 사는 일상에서 좀 여유를
가지고 뒤를 돌아본다는 의미로
회자 되는 말이다.
세상을 향한 내면의 마음중심인
무의식의 세계로 여행을 해보란 뜻이다.
우주 속에 살면서도 우주를 느끼지 못하는
의식세계의 생활에서 벗어나
밤하늘의 별과 같은 마음을 헤아려
우주 자체가 마음속에 있다는 것을
느껴 보는 것이다.

동행하고 있는데 외롭다면

누군가와 동행중인데 외롭다.
마음이 안 통해서 일까?
아니라면 무엇일까?
아마도 그것은 내가 나와 동행하지 못하는
외로움이 제일 클 것이다.
자기의 속마음과 겉마음이
하나로 동행을 하지 못하기 때문에
이미 동행 이전부터
절절이 외로웠던 것이다.

내가 내 마음을 극복한다 해도

흔들리는 나를 극복하고
세상을 향해 또 다른 도전을
헤쳐 나가야 한다고 한다.
의식된 자아적인 마음인 내가
자연을 닮아 편안하고 순수한 속마음인 나를
극복 대상으로 하지는 않았는지 반문하고 싶다.
속마음인 내가 나를 이끌 경우
나와 세상은 극복해야 하는 대상으로
보는 것이 아니라 함께 가야하는
동반자로 보기 때문이다.

마음의 문이란

이 공간 저 공간을 몸을 움직여 다니도록
생각을 내여 놓은 것이 마음의 문인 것이다.
결국 마음과 몸은 하나가 되어 움직인다.
또한 실제의 문 앞에 내가 있다면
마음의 문도 그곳에 있는 것과 같은 것이다.

마음도 채워야 사람일까

이루어 놓은 것이 있다.
그래도 마음이 허전하다면 사람이다.
사람은 마음도 무언가로
채우지 않으면 안 되기 때문이다.
형태가 있는 물질적 가치라면
마음속으로 들어 올 수가 없다.

그러니 마음은 계속 고플 것이다.
세상을 향해 나누어 보라.
형태는 없지만 감동은 살아있기에
마음은 행복할 것이다.

내안에 품을 수 있는 것은

내안은 그 어떤 것도
들어올 수가 없다.
자리가 너무 좁기 때문이다.
내 몸 안은 비좁을 뿐 아니라
오래 동안 머물 수도 없다.

오직 형태가 없는 마음만이
머물고 있을 뿐이다.
물론 마음이 품을 수 있는 것은
당연히 품을 수 있다.

마음의 땅의 넓이란

마음의 땅의 넓이란
마음속에 내재되어 있는
머나먼 과거도 찾아갈 수 있고
또한 앞으로 다가올 머나먼 미래도
찾아갈 수 있으니
시간과 공간이 더해져
그 영토는 우주처럼 무한하다.

마음은 청춘이라는데

마음은 항상 청춘이라고 말한다.
맞은 말이다. 그런데 그런 말을
한다면 나이를 먹은 것이다.
청춘은 청춘인 줄을 모른다.
나이에 따라서 그대로 즐겨라.
그러면 나이에 맞게 청춘이다.

마음의 문을 연다는데

옛날에 열두 대문의 집이 있었다.
대문 하나하나를 들어설 때마다
생각하고 생각을 하였다.
현대를 살아가는 우리 또한 수많은
문을 열고 닫는다. 단지 몸만 출입하지 않고
마음도 생각과 사색의 문을 열고 닫아 보아라.
문을 열고 닫은 순간 나는 향상 새로움을
느끼면서 살아갈 수 있을 것이다.

마음의 상처란

마음의 상처란 애당초 없다.
마음은 상처가 머물려 있을
공간도 없고 형태도 없기 때문이다.
따라서 상처 또한 없는 것이다.

마음은 그림자일까?

마음은 항상
나를 따라 다닌다.
태양을 바라보고 갈 땐
더욱 뚜렷함이 더하다.
나와 한 몸이기 때문이다.
밝음이 다한 후엔
마음은 홀로되어
어둠 자체인 우주가 되어 진다.

마음은 멀리 달아났는데

도시는 언제나처럼 사람들 뿐 이다.
사람들은 진공청소기 마냥
온갖 자연의 소리를 다 흡입해 버린다.
그리고 마음에 대한 이야기들로 꽃 피운다.
자기들 마음이 아니라,
온 나라 사람들의 마음을 이야기 하고 있다.
이미 그들에게서 자기들 마음은
멀리 달아나고 없는 형국이다.

마음 끝에 짐과 살림살이가

따스한 봄날이다.
대지의 투박한 이불을 걷어내고
풀들이 세상 나들이 채비를 한다.
사람들도 이들을 닮아서 일까?
짐들을 포장하느라 분주하다.
잘 정리해 놓으면 살림살이가 된다.
마음 또한 짐에서 살림으로 정리가 필요하다.
이래저래 봄날은 간다.

낙엽 내음과 함께 하는 마음이란

하늘에 매달렸던
욕심 벗어 던지고
대지의 품안에
낙엽 되어 진다.

그 낙엽을 모아서
모닥불 피우니
마음의 향기가
사방에 가득하다.

언젠가 마음에서 뜻을 세웠다 해도

매일 태양처럼 떠오르지 않으면
뜻이라 할 수 없다.
마음작용 속에서 뜻을 세우는데도
외부적인 여건을 탓하고, 여건이
맞지 않아서 뜻을 꺾었다고 한다.
그것은 뜻이 아니라 욕심이 변한 것이다.
뜻은 글자 그대로 마음에서 의지를
일으키는 것이니 이를 좌우명이라 한다.

제2장 사색에 대하여

사색이 아름다운 이유는

살아가기 위해 사물을
생각하는 여행이 아닌
사색하기 위해 마음을
여행하기 때문이다.
물론 그 마음은 자연을 닮아 평화롭고
고요한 허공이란 속마음을 말한다.

한순간을 알아 차렸다 하더라도

작은 새싹을 보라!
형태는 큰 싹과 같이 다 갖추었다.
그러나 아직은 작은 어린 싹일 뿐이다.
한참을 키워야 큰 잎으로 된다.

생각 또한 무언가의 원리를
한 순간의 알아차렸다 하더라도
그 생각이 완성된 것이 아니며
많은 사색 끝에 완성 되어 진다.

꽃이 피면 질 것을 걱정하는 이에게

나무가 열매를 맺기 위해
꽃을 피움을 알아야 한다.
흘러가는 세월을 꽃에 담기에
그 빛 찬란하여 이쁜 색깔이
탄생함을 알아야한다.

우리도 마음의 꽃 피워
태양의 길목에서
찬란한 마음의 결실을
이루도록 노력을 하여야 할 것이다.

사색의 여유로움이란

마음바다에
바늘 없는 낚싯대를
드리운다.

세월흐름을
말없이 관조하니
운 좋은 날 석양 노을은
덤이다.

손가락 하나 까닥 안하였는데
어망 속엔 별들이 가득 하다.

붙잡고자 한다면

거미를 보라!
스스로 거미줄에 갇혀 있으면서
허공을 붙잡고,
인고의 시간을 보낸다.
누군가를 붙잡고 싶다면
스스로를 먼저 붙잡아야 한다.

행복하기를 꿈꾼다면

누구나 행복하기를
꿈꾸지 않은 사람은 없을 것이다.
행복은 꿈의 대상이 아니다.
더욱이 외부에서 얻어지는 것이 아니다.
치열한 마음의 작용을 일으켜
사색의 여정에서 얻어 지는 것이다.

나는 외톨이일까

자기가 외톨이라고
생각하는 이가 생각보다 많다.
세상 사람들이 일반적으로 추구 하는 것과
비슷한 생각 속에 있다면
분명 생각은 외톨이가 아니니
크게 걱정 할 이유가 없다.

세월이 미래가 되서야

우리는 미래를 꿈꾼다.
세월이 미래가 되기 십상이다.
오늘은 어제의 미래였기에
세월이 미래가 되어서는 안 될 것이다.
하고 싶은 꿈이 있으면
오늘부터 시작하여야 한다.
내일 하고 싶다면
세월을 미래의 꿈으로 꿈꾸게 될 것이다.

같은 무리들 이지만

야트막한 언덕에 푸른 풀들이 가득하다.
양탄자를 이루고 있는 그곳에
하늘과 구름 그리고 야생화들이 아름답다.
한쪽엔 동물들이 집단을 이루고 있다.
그런데 모습은 결코 아름답지 않다.
이유가 무엇일까?
움직임이 자유로운 동물들은
먹이만을 먹기 위해 모이기 때문일 것이다.

밀림에서 길을 찾기 보다는

숲이 우거진 정글에서는
길이 있어도 그 길을
빠져 나가기도 어려운 곳이다.
정글은 있던 길도
잠깐 사이에 지우는 곳이다.
정글은 그냥 그 자리에서
온갖 생명체가 살아가는 숲이다.

같이 있어도 혼자 있는 것이란

누군가 자연을 노래한 글이 있다.
산은 무심하고 강물은
쉬지 않고 소리 내어 흐르고
오래된 바위는 빈산에 홀로 있다.
위 글귀는 분명 자연을 묘사 하였는데
글쓴이가 바라보는 주관적 시각과
생각만이 존재 한다.
자기 생각만으로 느끼고 묘사하려 한다면
같이 있어도 혼자 있는 것이 된다.

앞뒤가 막혀 답답함을 느꼈다면

살다 보면 앞뒤가 꽉 막혀서
답답할 때가 있을 것이다.
사실은 앞뒤가 막힌 것이 아니다.
내가 막아서 앞뒤가
안 보인다고 해야 맞을 것이다.

지금 알았던 것을 그때 알았더라면

지금은 알지만
과거에는 몰라서 후회하는 말이다.
그러나 현재의 결정 또한
미래에서 본다면 후회 할 것이다.
무언가를 결정할 때는
미래를 설계한 다음에 그 미래의 관점에서
현재를 결정 할 수 있어야 한다.
현재는 과거의 미래이지만
미래의 과거도 되기 때문이다.

아무리 큰 꿈이라도

아무리 큰 꿈이라도
꿈으로만 있다면 실체는 보이지 않는다.
왜냐하면 꿈은 마음속 허상으로
자리 잡고 있기 때문이다.
아무리 큰 꿈이라도 마음속에만 있다면
가장 작은 현실인 것이다.
가장 작은 현실에서 부터 시작되는
큰 꿈을 지금 시작 못할 이유가 없다.

나의 정상이란?

산의 꼭대기를 정상이라 부른다.
그 정상을 오르기 위해 각고의 노력을 한다.
그리고 산을 정복했다고 박수를 보낸다.
그러나 산의 정상은 이미 산에 있다.
사회의 정상 또한 이미 사회에 있다.
나의 정상이란 무엇인가?
내가 나에게 가장 가깝게 다가서는 것일 것이다.
나는 소자연이니 대자연과 일치하는
나의 중심점을 찾아 가는 것이다.
이것이야 말로 나의 정상일 것이다.

좋은 생각이 가득 담겨 있다면

봄철 오후 나른하다.
뒷산을 산책하여본다.
사방에서 새들이 야단이다.
친숙한 이미지와 다르게
파열음을 내는 까치가 요란하다.
뻐꾸기는 "뻐꾹"소리를 낸다.
곁에 가까이 다가가도 역시
서정적인 음색의 소리를 낸다.
평소에 좋은 생각을 마음속에
많이 간직하고 있는 사람이라면
화가 난다 해도 좋은 생각 중에
하나가 나올 것 같다.

사색하기 좋은날은

여름 장맛비가 내리다 그치다 한다.
날씨가 울퉁불퉁한 날이다.
이런 날은 생각 또한 비에 잠기는 날이다.
무엇을 바라보아도 사색이 되는 날이다.
생각의 단상들은 사색의 땔감이 되어 진다.
사색은 모난 감정을 잘 다듬어
땔감으로 만드는 재주가 있다.

반듯하게 살고 싶다면

날씨가 제법 무더위 진다.
대나무 숲속의 소슬바람이
친구가 되는 계절이다.
하늘에서 비가 쏟아 질 때
장대비처럼 내린다고 한다.
정말 대나무는 위로 곧게 자란다.
가지라고 해봐야 젓가락처럼 가늘다.
그러니 열매를 매달고 있을 수도 없다.
대나무처럼 속도 비우고 열매도 없다면
정말 반듯하게 살아갈 수 있을 것이다.

가뭄 끝에 내리는 단비라도

오랜 가뭄 끝에 단비가 내린다.
빗방울은 수많은 동그라미를
땅위에 그린다.
비를 피하기 위해 우산을 쓴다.
가뭄 끝에 내리는 단비인데
우리는 우산을 쓰고 비를 피한다.
우산이 주는 한계가 우리의 모습이다.

서둘러 길을 찾아가기 보다는1

어린 시절 오월이면 소풍을
간 기억이 난다.
보물찾기 놀이는 빠지지 않는다.
다수가 몇 점의 귀한 보물을
찾기 위해 서로 경쟁 한다.
나중에 세상을 어떻게 살아가야 하는지 알려준다.
미래를 위한 전주곡 같은 놀이이다.

서둘러 길을 찾아가기 보다는 2

길은 방향과 폭을 제한한다.
한 길을 찾아 떠나는 순간에
나머지 길은 포기 할 수밖에 없다.
다행히 목적과 방향이 맞으면 좋겠지만,
그렇지 않는 경우 낭패가 아닐 수 없다.
서둘러 세상의 길을 찾아 떠나기 보단
내안의 마음 작용을 살피는 길을
먼저 떠나기를 권하고 싶다.
마음의 길은 곧 인생관이 되기 때문이다.

물 만난 물고기라도

물 만난 물고기는
뜬눈으로 밤을 지새워도
하늘 한번 쳐다보지 못 하지만

갯벌 속 참게는
육지 끝을 맴돌아도
허공을 향해 기지개를 펼 수 있다.

요즘 젊은 것들이란

세월이 흘러감에 따라 나이를 먹는다.
세상을 바라보는 시각 또한
나이를 먹기 마련이다.
"요즘 젊은 것들"이란 단어를 사용한다.
말하는 이의 나이가 많음이 내재된 단어이다.
요즘 젊은 것들 이라는 범주엔
나를 포함한 살아 있는 모두가 젊은 것들에
해당함을 알아야 한다.
왜냐하면 유구한 역사에 비해
오늘을 살아가는 세월은
짧은 순간이기 때문이다.

같은 생각을 치대기만 한다면

오랜 시간 반죽을 치대면
반죽은 딱딱해지고 굳어진다.
세월 속에 있는 우리는
생각 또한 바람결처럼 해야 한다.
생각이 세월 따라 흘러가기에
그 시절에 맞은 새로운 요리도
만들 수 있은 것이다.
우리에겐 시간이 많이
주어져 있지 않음을 알아야 한다.

살아만 있어도 행복해야

행복은 밖에만 있는 것이 아니다.
이미 내안에도 내재되어 있다.
즉 내가 살아 있는 것만으로도
행복하다는 것이다.

누가 좋은 말을 해주면
듣기만 해도 바로 행복해한다.
이것이 살아 있기만 해도
행복하다는 것을 입증한다.
다만 알아차리지 못할 뿐이다.

본능으로 태어나서

본능으로 태어나서
사람답게 살기 어렵고

본능으로 낳아서
사람답게 키우기 어렵다.

아무리 착한 것도

착한 것만 자기 것으로
간직한다고 생각한다.
그래서 아무리 착한 것도
자기 안으로 들어 왔다가
나가면 나쁜 것이 되어 진다.

멈추어 있는 것 같아도

시간이 빠르게 간다고 느끼거나
더디게 간다고 느끼는 것은
자연의 세월과 같은 속도로
동행하지 못하기 때문인 것이다.
지금 하고 있는 일과 생각에 몰입하여 보라.
시간이 가고 있는지 멈추었는지를
느끼지 못한다면
시간을 잘 지내고 있는 것이다.

너무나 소중해서 쓸 수 없는

삶, 인생, 영혼, 이런 단어들은
그 자체의 의미가 너무 소중하고
큰 의미를 포괄적으로 가지고 있다.
어느 일부분으로 쓰기에는 아깝고 살 떨린다.
나의 글에선 웬만해선 쓰지 않고 남겨 놓는다.
이 단어들은 내 마음속에 여백으로 남겨 있다.
그래서 난 행복하다.

함께 있어도

맑은 공기에 청량한 날씨이다.
새들이 조잘대는 아침이다.
여행 중에 아주 피곤하여도
통제된 공간이 아니기에 상쾌하다.
그런데 별일을 하지 않았어도
몸이 무겁고 아주 일어나기 어려울 때도 있다.
같은 조건이면서도 차이가 난다.
그 이유 중에 하나는 같이 있는
상대방과의 관계일 것이다.
교감을 하고 있는지 아니면
스트레스를 받고 있는지 일 것이다.

상대방과 대화라도

어떤 주제를 갖고
상대방과 대화를 하려거든
우선은 내 자신이 상대방이 되어
대화를 점검하고 반추해 보라.
나 자신과 대화가 될 수 있어야
겨우 상대방과 기본 의사소통이 될 것이다.
결국 대화란
지금까지의 나와 미래의 나의
만남이기 때문이다.

혼자만 있다면

혼자만 있다면 그것이
선이든 악이든
다툴 일이 없다.
그냥 하나이기 때문이다.
하나가 더해져 둘 이상이
되는 순간부터
서로가 자기가 선이라고 다툰다.
절대로 상대방이 선일 수는 없다.
선을 두고 다투니 상대적일 수밖에 없다.

음식물 쓰레기를 버리는 데도

음식물 쓰레기를 버리는 것은
여간 번거로운 것이 아니다.
음식물 쓰레기를 버릴 때마다
더러워진 찌꺼기들과 냄새에
곤혹스러움을 느끼곤 한다.
사실 우리를 위해 음식이 되어준
고마운 생명체들의 잔해들인데
너무 우리만의 생각 속에 머물고 있다.

별나게 살고 싶다면서

별나게 살고 싶다면
돈을 벌기 시작할 때
돈은 기본으로 있어야
한다고 생각하지 말고
돈은 덤으로 있어도 된다고
생각하고 시작해라.
별나게 살 확률이 높아진다.

어디서부터 처음일까

일이나 생각이 막힐 때에는
휴식을 잠시 취해보라.
그리고 다시 시작 해보라.
시작은 시작하면 오는 것이다.
때가 늦었다 생각 말고 다시 시작 해보라.

얼마나 인간적인 관점인가

겨울산은 스산하기 그지없다.
속살을 드러낸 나무는
앙상한 가지만 남기고,
찬바람에 숨어있다.
산은 새 마저 멀리 떠나가 빈산이다.

산은 빈산일까?
그렇지 않다. 산은 안팎으로
나무와 바위들로 이미 만원이다.
다만 우리에게 지금 내어 줄 자리가 없을 뿐
보이지 않으면 없다하는
우리의 욕심이 빈 마음인 것이다.

여행길에서 제일 큰 짐이란

여행을 가려고 한다.
꼭 필요한 것만 꾸려도 한 짐이 된다.
그중에 가장 무거운 짐은
아마도 나일 것이다.
운임도 운임이거니와 다른 짐들도
내게 필요한 짐들이기 때문이다.

제3장 자연에 대하여

제일 높은 파도라도

밀려오는 파도를 보라.
높게 밀려 오는 파도는
다음 파도에
밀려 바닷물로 돌아간다.
한때 제일 높은 파도라도
결국 바닷물인 것이다.

자연 속에 살면서도

들녘엔 아직 하얀 잔설이 가득하다.
자세히 보니 비닐하우스들이다.
봄 햇살에 반사되어 눈부시기 짝이 없다.

비닐하우스 농법은 농작물을 안정적으로
공급하는 순기능이 많은 농사 방법이다.
그러나 하루 종일 자연 속에 살면서도
자연을 잃어버릴 수밖에 없는 구조이다.
안타깝다. 하늘 한번 제대로 볼 수 없기 때문이다.

도시도 마찬가지이다. 지하철, 버스, 건물 등
창문을 통해서나 하늘을 비켜 볼 수 있다.
자연 속에 살면서도 하늘 한번 볼 수 없다.
우리는 부자연스럽게 살아간다.

숲속의 밤을 무섭다고 하지 마라

아무리 아름다운 숲속도
태양을 등지는 어두운 밤이 되면
숲속은 괴괴함과 적막이 흐른다.
우리는 서둘러 그 숲 떠난다.
그리고 딱딱한 콘크리트에 몸을 숨긴다.
희미한 별빛 그 밤 한가운데 숲속엔
여리고 여린 새들의 둥지가 있다.

우리는 이미 여행자인 걸

지구는 광활한 우주를 여행 중이다.
그래서 우리는 이미 여행자이다.
현재라는 시간 속에 살고 있으면서
공간 여행도 함께하고 있는 것이다.
사색을 통한 마음의 눈이 함께할 때
시공을 초월한 여행도 꿈을 꿀 수 있을 것이다.

그 섬

혼자 있다고 외로워 마라.
모닥불 피우는 날
그 섬은 등대섬이 될 것이다.

홀로 있다고 외로워 마라.
혼불 깨우는 날
그 섬은 희망 섬이 될 것이다.

자연의 집이란

아침에 일어나서
하늘을 볼 수 있다면

자연의 집에서 잠을
자고 일어난 것이다.

하늘은 자연의 집의
지붕이기 때문이다.

아침은 하늘에서 부터

아침의 시작을
하늘에서 출근하여보라.
허리 꺾어 하늘을 한번
바라보면서
시작 해보란 뜻이다.
오늘 하루도 넓은 자연의
세계에서 시작하기에
자연인이 따로 없게 될 것이다.

세월은 길목일까?

세월은 흘러가는 길목이다.
그것은 목적은 아니다.

사람들은 목적을 이루고자 노력을 한다.
그러나 그 어떠한 목적도 세월 속에 있으니

세월의 길목에서 비켜갈 수 없다.
그래서 세월은 목적이 되어 진다.

바람 불어 좋은날이란

햇살이 눈부시다.
구름은 산 넘어 볼일 보려 급하다.
언덕 위 나무는 잠시도 멈추지 않고
막춤을 추어댄다.

바람 불어 좋은날이다.
호흡은 바람이다.
세상 모든 것을 놓는다 해도
호흡은 내려놓을 수 가 없다.
살아있기에 호흡 한다.
바람 불어 좋은 날이다.

세상의 짐이 무겁다는데 1

세상의 짐을 다 짊어진 것처럼
힘겨워 하지 마라.
내가 짊어진 짐 포함해서
지구의 무게의 총량이다.
지구는 우주 법칙에 따라
허공 끝을 가볍게 돌고 돈다.

세상의 짐이 무겁다는데 2

지구를 받치고
있는 것처럼 하지 마라.

새털처럼 가벼운
하늘만 이고 있을 뿐

물구나무를 서고 있지 않는 한
분명 지구 위에 서있다.

자연 속에 살면서도

자연 속에 있는 우리는
자연을 소유하려 한다.
우리는 과연 자연을 소유할 수 있을까?

자연은 소유할 수도
소유 당할 수도 없는 것이기에
자연이라 하는 것이다.
우리는 그 속에 살고 있다.

꿈속에서 자연을 만나다.

숙면을 취한다는 것은
자연과 가장 일치 하는 것이다.
잠을 자는 동안은 무의식속에
있는 상태라 할 것이다.
일을 하는 동안 깨어 있다고 한다.
그러나 얼마나 자연을 느끼고
깨어있는지 되묻고 싶다.
어쩌면 무의식 상태에서의 잠은 꿈이 아니라
자연을 만나는 귀한 현실과 같은 것일 것이다.

잡초 까지도

아침나절에 모처럼 산밭에 가서
밭에 잘 자란 풀들을 메고 왔다.
그런데 풀을 뽑는다는 것이
풀 속에 숨어있는 도라지를
풀로 알고 뽑아 버렸다.
잡초더미에서 다시 도라지를 골라 내였다.
농부로선 경제성 있는 풀은 잡초가 아닌 것이다
자연인으로 살아간다는 것은 쉽지 않은 것 같다.
난 그래도 도라지 보단 잡초가 더 정감이 간다.
푸른 하늘밑에 풀밭이 펼쳐지는 것이
더 자연스럽기 때문이다.

바다가 가장 높다고 해도

바다는 충분히 높다.
저 깊은 해저에서 바다 표면까지
웬만한 산보다 높은 것이 바다이다.

그러나 아무리 높은 바다도
제일 낮은 육지 보다 낮다.
충분히 높아도 낮은 것이다.

물론 구름 되어
하늘 호수로 거듭 태어나는 날
바다는 하늘이 된다.
그래서 바다는 충분히 높다.

맑은 물을 포기 하고 싶지 않다면

한줄기의 맑은 물을
포기 하고 싶지 않다면
큰 강물이 되길 바라지 마라.
그냥 구름이 되어 바다에 내려라.

굽이쳐 소리 내기 싫거든
그냥 구름이 되어 하늘로 올라라.
그리고 천둥 번개가 되어라.

섬이니까 외로울까

그 섬에 물개가 있다.
바다 한가운데 섬이 있어
너무 행복하다.
그들은 바다에 살기에
섬은 편안한 안식처가 된다.

그 섬에 사람이 있다.
바다 한가운데 섬이 있어
너무 외롭다.
그들은 바다에 살 수 없기에
섬은 불편한 피난처가 된다.

자연을 알려고 하려거든

눈으로 보는 것 이상으로
사색하는 마음으로
자연을 만나야 할 것이다.

찾고자하는 자연은
보이는 현상뿐 아니다.
그 속에 내재되어 있는 이치까지도
포함하고 있기 때문이다.

지구는 외로운 섬인가

살다 보면 섬처럼 고립감에
외로움마저 파도처럼
벅차오를 때가 있을 것이다.

이럴 때는 광활한 우주에
홀로 떠도는 외로운 배
지구를 생각해 보라.

그 외로움 속에 우리는 살고 있다.
단지 혼자여서 외로운 것이 아니라
지구에서 살기에 외로운 것이다.

고전을 읽으면서도

우리는 고전이라 하면
옛 것을 떠 올린다.
왜 고전을 읽어야 하는 걸까?

우리는 짧은 현재를 살아간다.
고전은 과거에서부터 현재까지
오랜 세월을 확장할 수 있다.

다만 진부 하게 느껴지는 것은
현재 실존하는 존재로서의 시각으로
고전을 바라보고 미래를 여는
힘이 약하기 때문이다.

누군가가 주변에 없다고

문득 혼자 있을 때가 있다.
주변에 누군가가 없다고
외로워하지 마라.

처음부터 혼자였다면
외로움도 몰랐을 것이다.
오늘 외롭다면 달을 보고 있는 것일 뿐
내일은 다시 해가 뜬다.

꽃만 보고

봄은 모두를 잠에서 깨운다.
꽃은 다시 활짝 피는데,
나는 왜 이렇게 늙어 가는지 타령을 한다.
그 꽃은 작년에 이어 금년에 다시 피는
꽃이 아니라, 금년에 새롭게 피는 꽃이다.
꽃을 피우는 나무는 한 살 더 먹은 나무이다.
사람도 분명 나무와 같은 비유 개념 인데
꽃에다 비유하고 꽃은 피우려 하지 않는다.

우주여행을 떠나자

태양빛 커튼을 걷어낼 시간이다.
별빛을 가로등 삼아
광활한 우주여행을 하여 보자.
우리는 잠시 혼자만 있으면 외로워한다.
옹색한 마음을 털고, 우주와 벗을 해보자.
외로움은 사색의 동반자가 될 것이다.

섬은 외로운 것일까

바다 한가운데 섬 하나 있다.
섬이 외롭다고 느끼는 것은
스스로 섬이 되어 외로운 것이다.

그 섬은 호수가 되어

바다 한가운데 그 섬에
한줄기 비가 내린다.
갈증을 풀어 주는
하늘빛 머금은 푸른 호수가 된다.

바다 한가운데 그 섬에
한줄기 꽃비가 내린다.
붉은빛 머금은 고운 호수가 된다.

창공을 높이 날아오르는 새는

진한 가을빛 엷은 겨울 어느 날
강가에 힘차게 날아오르는 물오리를 바라본다.
사선으로 올라가더니 일정한 높이의 창공에서
날개를 활짝 편다.
다리를 뒤로 모은 채 날개 짓을 멈춘다.
세상을 내려다보고 좌표와 먹이를
관망하고 있는 것이다. 먹이는 많이 보이지만,
먹이로 부터는 더 멀어진 높이 이다.
그러나 서둘러 날개 짓을 하지 않는다.
넓고도 광범위 한 곳에 먹이가 많이 있다는 걸
알기 때문일 것이다.

음식 이전에 생명인 것을 1

매일 먹는 음식은
음식 이전에 귀한 생명이다.
그 생명으로 나의 생명을 얻는다.
최소한의 고마운 마음으로
예를 갖는 마음이 필요 할 것이다.
우리를 위해 살생되어진 생명에게
예를 갖추는 마음이 자연 속에 살아가는
우리의 자세일 것이다.

음식 이전에 생명인 것을 2

음식이기 이전에
생명이 아닌 것 없다.
그들의 생명을 먹고 우리의
생명을 유지 하는 것이다.
우리도 언젠가는 다른 생명을 위해
생명을 내어 주게 된다.

빈손이란 시각은

손에 아무 것도
잡고 있지 않으면 빈손이라 한다.
태어날 때에 아무것도
갖지 않고 태어났으나
살면서 많이 가지려 하는 것을
책망하는 단어로 쓰이기도 한다.
·
그러나 이미 그 단어 자체의
의미에 소유의 많고 적음이
내재된 표현임을 알아야 한다.

그런 표현에 나오게 되는
마음 작용의 욕심부터 걷어 내는 것이
태어날 때의 맑은 동심을 지켜가면서
살아가는 것이 될 것이다.

해 뜨는 시각과 해 지는 시각만

일기를 쓰던 어린 시절을 회상해 본다.
하루 동안에 생긴 일이 별로 없어서
해가 뜨고 지는 것 이외는
쓸 것이 없어 고민 한 적이 많았다.

그러나 지금에 와서 생각해보면
해가 뜨고 지는 것을 기록 한다는 것은
지구가 태양을 바라보고
우주를 한 바퀴 여행하는 것이니
그 어떤 기록보다 소중하다는 것을
좀 일찍 알았더라면 하는 아쉬움이 있다

자연 속에 잡초란

몸 어디에도 주머니가
없어 허전하지만
온 몸으로 태양 빛을 받으며
초연하게 살아가기에
사람들은 이 풀을 잡초라 부른다.

가장 자연과 닮은 시간이란

우주 속에 몸을 맡기고
숙면을 취한다는 것은
자연과 가장 일치 하는 것이다.
잠을 자는 동안은 무의식 속에
있는 상태라 할 것이다.
우리는 일을 하는 동안 깨어 있다고 한다.
그러나 얼마나 자연을 느끼고 깨어있는지 되묻고
싶다.
어쩌면 무의식 상태에서의 잠은 꿈이 아니라
자연을 만나는 귀한 현실과 같은 것일 것이다.

우울한 생각이 들거든

우울해질 때가 있다
하늘을 바라보라!

그리고 잠시라도
일에서 벗어나라.

푸른 하늘과 별들이
번갈아 나를 반긴다.

우리는 이미 우주를
사색하는 여행자이다.

세월의 무게에 힘겨워 하지마라 1

젊음의 불꽃은 재마져 날려
그 불꽃 찬란하다.
세월의 무게에 힘겨워 하는 건
재라도 붙잡기 위해 불꽃을
조절하려하기 때문이다.

세월의 무게에 힘겨워 하지마라 2

세월의 바람을 잠재우지 마라.
불꽃 또한 잠재우지 마라.

세월은 새털처럼 날아가고
불꽃 또한 허공 속에 별이 되면
재는 이곳 지구에 남게 된다.

제4장 애정에 대하여

꽃 한 송이도 줄 수 없는 그대에게

그대는 이미
세상에서
가장 아름다운 꽃이기
때문이다.

한 명의 친구만 있어도

친구 예찬론에서 말하는
만능 친구는 한사람의
친구였을 때 가능한 것이다.
한사람의 친구만 있다면
그 꿈을 이미 이룬 것임을 알아야한다.
그 한사람은 또 다른 나임을 잊지 마라.

가까운 사람일수록

가까운 사람일수록 멀리 두고 보아야 한다.
멀리 두고 보는 만큼 그리움은 커지고
미움은 다가가기 어렵게 되기 때문이다.

사랑은 생각의 관념에서 시작되지만
미움은 현실의 이해관계에서 시작되기에
가까운 사이일수록 현실적 이해에 엮이지
않도록 노력해야 한다.

사랑과 미움이란

사랑하면서도 미운 감정이
들기 시작하면
사랑하는 마음이 엷어지고
미움이 다가오기 시작한 것이다.

미움의 마음을 키우지 마라.
미움의 마음이 큰 만큼
사랑하는 마음은 작아지기 때문이다.

사랑과 미움사이란

멀리 있어서 사랑하게 되었는데
가까이 있게 되어보니 싫어진다.
그리고 미움이 생겨난다.

단점을 감싸고자 한다면
아직은 사랑하는 것이다.
단점과 장점이 교차해 보인다면
사랑과 미움사이에 있는 것이다.
단점이 너무 많아 도저히 참을 수 없다면
사랑이 달아나고 미움만 남게 된 것이다.

여행길에서 친구를

진정한 친구를 만나기를
원하거든 여행을 같이 떠나 보라.
상대방이 서로 얼마나
짐으로 느껴지는지, 그 짐 기꺼이
짊어지는 사람이라면
진정으로 동행하는
친구라 할 수 있을 것이다.

영원한 사랑을 찾으려 하면서도

영원한 사랑을 찾으려한다.
그러나 우리는 영원하지 않다.
객체로선 유한하기 짝이 없다.
그런데도 우리는 우리에게서
영원한 사랑을 찾으려 한다.

헤어져서 외롭기 보다는

헤어졌다고 외로워 하지마라.
헤어짐은 오히려 화려한 것이다.
이별은 별빛 하나로 지지만
사랑은 꽃다발로 다가오기 때문이다.

외로워서 사랑받기를 원한다면

외로워서 사랑받기를
원하는 이가 있다.
사랑은 받을 수는 있어도
외로움은 나눌 수 없을 것이다.

사랑이 있는 그곳엔
외로움의 자리는 없기 때문이다.
외로움은 이별에서 자라나
사랑으로 사라지기 때문이다.

남녀 간의 사랑의 한계 시점은

서로가 더 이상
남녀로 느껴지지
않는 시점 일 것이다.

사랑은 상표가 되어서

사랑이란 상표로
온갖 옷을 만들어 판다.
이제 사랑은 보통 상표가 되었다.
외로움이란 천에
쉽게 상표로 부착되어진다.

친구가 있어 행복하다

자연은 스스로 있어 행복하다.
우리 또한 스스로 행복 할 수 있다.
나눌 수 있는 친구가 있다면
더욱 행복할 것이다.
행복은 나눌수록 커지기 때문이다.

사랑하고
헤어졌는데
그 세월이
허송세월로
느껴진다면

철든 것이다.

사랑한다면서도 생각이 많아지면

마음속으로 혼란스러운 상태일 것이다.
속마음으론 사랑하는 것이 맞을 것이다.
그러나 무언가 불만족 하였기에 발생되는
마음 작용의 하나가 될 것이다.
사랑 자체가 서서히 엷어지고 있는 모습이다.

사랑과 미움 그리고 만남과 이별에 대하여

사랑했는데 이별하였다면
사랑하는 마음속에 이별하는 것이기에
아프지만, 아름답게 이별 할 것이다.

미움 속에서 이별하였다면
미워하는 마음속에서 이별한 것이기에
화나지만, 아프게 이별 할 것이다.

사랑하기에 소유하려 한다면

마음자리 깊숙한 곳엔
사랑 아니면 미움 중에서
오직 한자리만 존재하기 때문에

소유하고자 한다면
미움이란 마음작용이 시작임을
알아 차려야 한다.

소유당하고 싶다면 사랑이
소유하고 싶다면 미움이
마음 한자리를 차지하고 있을 것이다.

이별하고 돌아 선다면

사랑했지만
돌아설 수밖에 없어도
가슴이 미어지도록 아파도
돌아서지 마라.
그리고 상대방이 돌아서
가는 것을 지켜봐라.
내가 돌아서지 않았으니
나는 언제나 사랑을 할 수 있다.

사랑은 달빛처럼

달의 표면은 거칠고 황량하다.
그래도 달빛은 모든 것을
아름답게 덮고 있다.
관찰하고 지적하고 있다면
사랑하는 것이 아니다.
감싸주고 덮어 주어야 사랑이다.
사랑은 달빛과 같기 때문이다.

제5장 가족에 대하여

아내에게 아침밥을

우리가 섭취하는 음식재료들은
넓은 들판에서 햇살 가득 머금은
귀한 생명체임을 알아야 할 것이다.
그런 생명을 자르고 절이고 볶아 내는 일을
아내에게 부탁하는 것임을 생각해보라.
이는 예쁜 손이 할 일이 아니다.

오랜 세월 부부로 살아오면서도

오랜 세월을 참고 살아 왔다면
어지간한 일은 참아야 한다.
그런데 아직도 화가 발끈 난다.

생각해보면 그동안 참아 왔던 것이
배우자를 배려하고 참아온 것이
많지 않음을 알 수 가 있다.
자기 자신을 위해 꾹 참아 온 것이 많은 것이다.

그러면서도 참을 만큼 참아 왔다고 생각하고
이제는 도저히 못 참아 하는 것임을 알아야 한다.

집안이 허전하다면

가풍이 없는 것일 수도 있다.
우리는 전통이 유구한데 반해서
식민지 시대와 급속한 산업화로
집안의 가풍이 무너져 있는 모습이다.
그래서 무언가 허전하고
빈자리를 느끼는 것이다.
이제라도 대대로 공유할 수 있는
가풍을 세워보기를 권해본다.

가장이 외로움을 느낄 때

가장이 외로움을 느끼는 때에는
가족은 가출하고 싶은 심정임을
가장은 헤아려야 할 것이다.
그의 가족은 가장인 그대로부터
시작되었기 때문인 것이다.

자식은 또 다른 나와의 만남일까

부모는 자식을 키우지만
자식의 동심을 보고
또 다른 어린 자기를 만나
데이트를 하는 것이 될 것이다

자식과 같은 눈높이에서 시작해서
자기 동심도 성인이 되도록 잘 키워
보기 바란다. 자식이 성인이 될 쯤에
부모는 또 다른 성인이 된 자기를
만나니 여간 든든할 것이다.

자식이 고기를 잡기 위해

물고기를 잡아 주거나 또는
물고기 잡는 법을 가르친다.
부모는 자식이 세상 속에서 물고기를
많이 가져 돈을 잘 벌수 있도록
가르치는데 올인 한다.

그러나 물고기도 고기 이전에 생명체이다.
자연의 하나인 것이다.
우리 또한 자연 속에 사는 생명체이기에
자연의 생명들에 대한 소중함에 대해서도
사색하는 마음과 함께 가르쳐야 할 것이다.

부모가 걱정해야하는 자식은

자신의 생각과 무관하게
부모가 원하는 방향으로 가는
자식을 걱정해야한다.

자식이 자신의 길을 가기보단
부모가 원하는 길을 가기에

부모 이후에 자식이 스스로
살아 갈 때는 많은 혼동을 안고
살아갈 수가 있기 때문이다.

가족으로부터 관심을

가족과 떨어져 있으면서도
머릿속엔 항상 가족이
동반 하고 있는 모습으로
끊임없이 가족이야기를 하는 이가 있다.

곁에 없어도 항상 있는 것이다.
저녁때쯤 집에서 볼 때는
대면대면하게 될 것 같다.

그녀는 왜 잠시도 생각 속에서
가족을 벗어나지 못하는 걸까?
그녀는 가족으로부터 진실로 사랑받기를
원하기 때문일 것이다.

이미 가까운 사이인데

혈연이나 부부사이는
이미 원초적으로
가까운 사이인 것이다.
그 이상으로 다가가고 싶다면
그것은 욕심이다.

더욱 다가가고 싶거든
자기 자신에게 다가가라!
최소한 나와는 원수가
될 염려는 없기 때문이다.

부모는 자식을 잘 안다는데

생각보다 잘 모르는 경우가 많다.
자식을 낳고 키우면서
부모는 자신의 생각과 습관을
자식에게 지시하고 따르라고만 하였지

정작 자식의 의중이나 생각을
알아보는 것은 소홀하였기 때문이다.
겨우 소질과 성격 정도 파악한다면
그나마 자식을 아는 경우일 것이다.

자식은 부모를 잘 모를까

부모는 자식이 부모마음을
잘 모른다고 생각 한다.
그러나 생각보단 자식은 부모의
마음과 뜻을 잘 파악하고 있다.

자라온 세월만큼이나 부모로부터
수많은 지시와 가르침을
잔소리 함께 받아 왔기 때문이다.

모르는 것이 아니라 안 맞아서 일 것이다.
부모는 우선은 자식의 마음을
알아보는 것을 먼저 하여야 할 것이다.

부모와 자식이 정말 통할까? 1

부모와 자식 간에는 생각 보단
통하지 않음을 직시해야 한다.
세상을 향한 의식화된 마음구조가
강하게 지배되고 있는 현실이기 때문이다.
서로간이 대화가 어디쯤에서
맴돌고 있는지 잘 헤아려야 한다.

아무런 관계가 없는데

아무런 관계가 없는 사람을
만나 사랑을 하고 헤어진다.

그런데 아무런 관계가 없는데
헤어지지도 않는 사이가 있다.

감정의 단계를 넘어서서
마음이 통하는 소중한 가족
같은 관계가 된 것이다.

제6장 세상에 대하여

세상은 넓어도 사람 또한 많으니

세상은 넓고 할 일 또한 많다.
그런데 세상은 넓어도 사람 또한 많다.
한자리 비집고 들어가기도 어렵다.
그러기에 내가 있는 현재의 공간은
소중한 곳인 것이다.

누군가를 위해 잔소리를 한다면서

누군가에게 걸림돌이 있어 보여
그것을 치우라고 잔소리를 한다.
그러나 한 발짝 들어가 보면
그 사람이 나에게 걸림돌이 되어서
잔소리를 하고 있지나 않는지
생각을 해봐야 한다.
그 사람을 진정 생각하여 준다면
조용히 걸림돌을 치워줄 것이기 때문이다.

누구의 우리 인가

하나인 둘이 우리로 합 하였다면
누구의 우리가 되는 것일까?
서로가 나의 우리가 되고자 한다.
내가 나를 소유 할 수 없는데
나를 중심으로 우리여야 한다고 한다.
우리라는 것은 한사람의 소유로 할 수 없기에
우리라 하는 것이다.

사는 목표는 좋은데

동물처럼 벌어서 정승처럼 쓰고 싶다 한다.
목표는 좋은데 돈을 벌고 있는 동안엔
동물처럼 산다는 뜻은 아니길 바란다.
정승은 조선시대의 유명한 명관을
뜻하는 말로 그분은 애초에 재물하곤
거리가 멀어 평생을 청빈하게 살아간 분이다.
권력을 이용해 재물 또한 모으지 않았다.
그냥 사람답게 벌어서 사람답게 살다 가자.

뜻이 좋아도 배려가 1

앞이 보이지 않은 이가 절벽 길을
가다가 미끄러져 매달려 있다.
그 절벽 길은 그리 높지 않아서
그냥 손을 놓아도 다치지 않을 정도이다.
지나가는 길손이 그 모습을 보고
괜찮으니 그냥 손을 놓으라고 한다.
그러나 앞을 보지 못하는 이는
그 손을 놓으려 하지 않는다.
인간의 어리석음을 경책하는
문구로 자주 인용되는 말이다.

뜻이 좋아도 배려가 2

절벽 길의 높이를 헤아릴 수 없는
앞이 보이지 않은 이의 입장에선
그냥 손을 놓을 수는 없을 것이다.
상대방의 입장을 좀 더 배려했다면
작은 돌을 떨어뜨려 그 떨어지는 소리로
그 절벽의 높이가 높지 않음을
알게 해주었으면 하는 아쉬움이 남는다.
뜻이 좋아도 배려의 중요함을 말하고 싶다.

독서가 취미란 것은

책을 읽는 것을 즐겨 하는 이가 있다.
풍부한 독서량과 교양과 학식이 높다.
수많은 고서와 교양서를 통해
자신의 생각을 정립하였다.
독후감이나 서책을 발간하지는 않았기에
자기 생각을 정리는 하였으나
다른 후학의 길잡이는 하지 못하였다.
이런 경우 독서가 취미로 머문 경우 일 것이다.

담배꽁초에 대한 상념

눈길이 가는 곳 마다
빠짐없이 따라오는 것이 있다.
피다버린 담배꽁초이다.
담배는 건강상 유해하지만
정신적으론 순기능도 있기에
편견은 갖지 않지만
한때는 자기 입술과
죽고 못 사는 관계인데
그렇게 헌신짝처럼 버리다니
그 심보는 야박한 것 같다.

세월만 생각한다면

미래의 세월은 꿈이 된다.
아직 살아가지 않은 세월이기에
이미 그 세월을 지나 왔다면
과거의 세월은 꿈같은 세월이 된 것이다.
세월만 생각하면 과거와 미래가 꿈인 것이다.
결국 세월만 가면 다 이루어질 것이라고
꿈을 꾸는 것은, 꿈같은 세월을 보내는 것이다.

남이 준 행복과 내가 만들어 가는 불행이란

누군가로부터 좋은 말을 듣는다면
한동안은 기분이 좋아질 것이다.
그러나 며칠이 지나고 나면
이전과 마찬가지로 답답해진다.
차라리 그런 말을 안 듣는 것이
더 나을 것 같다고 자조 섞인
말을 하는 이가 있다.
그런데 그런 말을 듣고서
며칠간은 마음에 시원 했다면
그 마음을 지속하는 것은
본인의 몫임을 알아야 한다.

모르면서 무조건 반대하는 사람이라면

내용이 틀렸다고 바로 잡으려고 하지마라.
또한 같이 우기거나 설득하려 하지마라.
당신과 이해관계가 안 맞으니
비켜달라는 것임을 알아야 한다.
내용보다도 성격을 맞추어야 할 것이다.
물론 맞추려다 세월은 덧없이 갈 것이다.

충고를 할 때는

접시에 음식이 있다.
포크가 없어 망설인다.
나는 상대방에게 포크를 집어 주었다.
그런데 상대방은 포크에 찔렸다고
화를 내면서 아파한다.
상대방에게 향하는 것이라면
상대방 입장에서 잘 관찰하고 배려해야 한다.
그래도 본전이기 쉽지 않다.

**남자가 욕실 좌변기에서 앉아서
소변을 보는 것에 대해**

집안의 욕실안의 변기는 대부분이
좌식 변기임에도 불구하고
밖에서 편리성을 강조한 입식변기와
같이 서서 소변을 보는 경우가 많다.
지금은 청소 등을 감안해서 앉아서들
일을 보지만 그에 대한 의견이
분분하여 한마디하여본다.

사물을 대하는 의식과 행동 작용을
원초적인 성이 기초가 된 편견 의식의
틀에서 벗어나 자유롭게 생각한다면,
입식 변기가 아니고 좌식 변기이니,
당연히 앉아서 일을 보아야 할 것이다.

이것 하나만 이루면 소원이 없을까

큰일이 아닌데도 바로 눈앞에서
문제라고 느껴지면 주문 외우듯이
반복해서 아래와 같이 말하는 이가 있다.
"이것 하나만 이루면 소원이 없겠다."
매번 또 반복한다.
이는 또 다른 이가 또 다른 소원을 가지고
세상에 오는 것과 같다.
길게 보는 나로는 살지 못하는 것이다.
작은 부분을 온힘을 다해 전력하기에
작은 사람으로 끝까지 전력을 해야 할 것이다.
세상엔 작은 일이 너무나 많게 때문이다.

**사고방식이 다르다면
동행 할 수 있을까?**

원하는 만큼은
동행하지는 못 할 것이다.
사고방식은 하루아침에
형성되는 것이 아니기 때문이다.
그냥 공존을 모색하라!
모색으로부터 동행은 시작되기 때문이다.

화가가 꿈이라는데

그림에 소질을 가지고 있다면
화가를 꿈 꿀 것이다.

화가를 꿈꾸는 것은
꿈이 아니다. 치열한 현실이다.

좋은 그림을 그리는 것이
꿈이 될 때 화가로서
꿈을 꾸고 있는 것이다.

인생이란 시험시간에

인생이란 시험시간에
답을 알고 있으면서도
문제지 만지작거리는 이가 있다.
같이 동행하는 이를
기다리고 있다는 것이다.
시험시간은 생을 다할 때까지 이다.
교실 창문 넘어 복도에선
발을 동동거리며 안타깝게
지켜보는 이가 있다.

길을 가다 보면

목표를 향해 가다가도
사사로운 감정들 때문에
벽에 부딪친 경우가 있을 것이다.
감정에 휘말리는 것은 목표 밖이라고
생각해서는 안 될 것이다.
이성적으로 감정을 잘 순화해 가는 것 까지
목표 중에 하나이기 때문이다.

오늘 일어난 일을

오늘 일어난 일을 결정하면서
어제까지 형성된 가치관과
습관으로 오늘 일을 판단한다면
아직 어제에서 벗어나지 못한 채
살아가는 것이다.

미래에서 오늘로 다가온 나로
오늘을 판단하고 결정할 수 있어야
과거와 미래 속에서 오늘을 사는 것이다.

앞이 깜깜할 때는

세상을 살다 보면
앞이 깜깜할 때가 있다.
어둠을 직시하자.

해는 그 자리에 꼭 떠있다.
지구가 잠시 돌아선 것 일 뿐이다.
깜깜해도 잘 찾아보면
달도 있고, 별도 있다.

달과 별이 빛나는 것 또한
태양이 있기에 가능한 것이다.

누군가의 말에 아프다면

언어는 불안전한 퍼즐 조각이다.
말하다 보면 다듬어지지 않은
말을 주고받을 수 있다.
민감하게 반응하여 상처를
깊게 입지 말아야 한다.

말하는 이의 마음이 언어로
제대로 표현되지 않았음을
염두에 두고 치유하기 바란다.

말의 실수는 나이가 들수록 심하고
젊어서는 혈기에 튀어 나간다.
이해를 구하면 받아 주는 것이 좋을 것이다.
다음엔 본인도 당사자가 될 수 있기 때문이다.

성벽 1

긴 세월 바람과 다투었는지
이곳저곳이 무너져 있다.
인위적인 것은 이처럼 세월이 가면
자연으로 제자리를 찾아가는 것이다.

그것이 자연의 이치인 것이다.
아쉬워 할 것이 없다.
돌들도 본래로 돌아가는 것일 뿐
내일이면 또 누군가가 열심히
돌을 쌓아 갈 것이다.

성벽2

네모진 석재 모습이
한자의 입 모양을 닮아 있다.
누군가와 대화를 할 때는
탑을 쌓듯이 반듯하게 하면
관계가 돈독해질 것이다.
반면에 생각 없이 막말을 한다면
면전에다 돌을 던지는 것과 같다는
생각을 하여본다.

성자가 된 청소부란

보름달이 나뭇가지 틈새로
얼굴을 나누어 보인다.
둥근 얼굴을 작게 보이려는 모습이다.
이 시간이면 음식물 쓰레기를 버리려간다.

이 음식물 쓰레기들은 음식으로
행복한 식사를 제공 했을 것이다.
그리고 그 임무를 다한 음식물은
쓰레기 조각들이 되어 다음을 기약하고 있다.

그렇다 이 음식물 쓰레기는
음식물이기 이전에 생명들이었다.
쓰임이 다한 조각난 생명체들을 감싸 안으면서
새벽길 한걸음에 달려가는 이가
성자가 아니면 무엇일까?

일 년 동안 농사를 짓는다는데

"농자천하지대본"이란 말이 있다.
농사는 세상에 가장근본이 된다는 뜻이다.
태양의 에너지를 제일 먼저 받아서
우리의 생명을 책임지기 때문이다.

그 뜻과 걸맞게 생업의 의미를
뛰어 넘어 마음 농사도 일 년 농사로
병행해서 짓도록 해야 할 것이다.
그래야 안팎으로 진정한 농부라 할 수 있을 것이
다.

어른이 되어서도

습관적으로 욕을 하는 사람이 있다.
어휘력에 문제가 있는 것은 차치하고
사고의 단순성에도 문제가 노출되는 모습이다.

이는 본능에 가까운 감정의 틀에서
순화 되지 못한 것이기에
청소년기를 지나서도 욕을 계속한다면
자기의 내면으로 향한 마음의 눈을
뜨지 못한 것임을 알아야 한다.

멋있고 낭만이 있는 사람이 되고자한다면
습관적으로 욕을 쓰지 말아야 할 것이다.
욕으로는 시를 쓸 수 없기 때문이다.

이름을 날린다 해도

이름은 날리는 것이 아니라
간직하여야 한다.
세상의 최상의 가치 중 하나인
"사랑"이란 이름을 가졌다 해도
이름이 사랑을 주는 것이 아니라
내가 내 마음속에 사랑을 간직하고
실천해야 하는 것이다.
단어 뜻만의 의미라면, 그건
이름이라기보다는 세상 사람들이
많이 쓰는 단어 불과할 것이다.

늦은 나이에 공부한다는 것은

나이 들어서 공부하는 사람의 특징 중
하나가 공부하는 시간 뿐 아니라 계획을
자기가 하고자 하는 방법으로
정하려는 경향이 강하다는 것이다.

사실 새로운 것을 배우려하는 것은
지금까지의 나의 생각과 방식에 대한
전환을 모색하기 것도 있기에
공부하는 방식 또한 먼저 변화를 꾀해
융통성을 발휘 해 보기 바란다.

안 바뀌는 습관이라는데

결혼생활은 공동생활이다.
욕실에 물이 사방에 튀어 있으면
다음에 쓰는 가족은 불쾌할 것이다.
그래서 물기를 깨끗이 닦아 놓는 것이다.
이것은 습관이 아니라 배려인 것이다.

이를 과거의 습관으로 치부한다.
결혼은 성인이 되어서 하는 것이다.
어린 시절까지 내려가서 도저히
못 고치는 병으로 만들고 있다.
문제가 있다면 생각 속에서 문제라고 인식해라.
그러면 행동은 생각을 따르게 되는 것이다.

말 속에서의 여백이란

글도 띄어쓰기가 있고
노래도 공기와 소리를 반쯤 섞어
노래해야 잘 부른다 한다.
말도 공간의 여백이 필요하다.
이는 상대자가 있기 때문이다.
그들이 여백을 채우도록 해
서로 소통하는 것이다.
그렇지 않다면 단지 소리나 소음에
불과 한 것이다.

한 번의 실수도

사람이 살다보면
누구나 실수를 하게 된다.
그래서 용서와 관용이 필요하다.
자기는 타인에게 실수를 하면서도
자기에게 타인이 실수를 하며는
용납하지 않는 사람이 있다.
가까이 하기엔 참 향기가 없는 사람이다.
타인의 실수는 용서하고 자신의 실수엔
엄격한 이라야 진정 인격인이라 할 수 있다.

쉽게 평하는 이에게

무언가를 쉽게 평하고 말할 수 있는 것은
그 작품을 만드는 과정이
평하는 이에게서는 빠져있기에
쉽게 말할 수 있을 것이다.
누군가를 평하기 이전에
그 과정을 한번이라도 이해함이 필요하다.
또한 자기는 자기 분야의 과정에서
얼마나 어떻게 노력하고 있는지
스스로 평하여 보기 바란다.

정돈한다는 것은

정리정돈 한다는 것은
부자연스러운 것임이 틀림없다.
어떤 이는 어질러 놓는 것은 습관이라
쉽게 고쳐지지 않는다고 말한다.
이는 결과론적으론 습관이지만
원인으로 본다면 본능에 가까운
행동임을 알아야 한다.
좋은 습관은 정말 열심히 노력한 끝에
얻어 질 수 있음을 자각하기 바란다.

기호품이 주인 행세를

무슨 일이든 술과 담배를 빌려
문제를 해결하려고 하는 이가 있다.
기호품은 중독성이 강하기 때문에
그 기호품에 빠지면 헤어나기 어렵다.
기호품이 주인이 되어 안절부절
기다리는 모습으로 되는 것이다.
문제를 해결하려다 문제를 만들고 있다.

내 땅이란 것이 1

태양이 내리 쬐는 날에도 밭일을 나간다.
그늘 막에서 쉬면서,
소유 없는 자연을 노래하자고 권한다.
바빠서 그럴 시간이 없다한다.
그의 땅은 매년 늘어만 간다.
사실 그 땅은 이미 있는 땅이다.
문서상으로만 자기 땅을 넓히는 것일 뿐
새로운 땅을 넓히는 것은 아니다.
어느덧 세월이 흘러
농부는 그 너른 밭 한쪽에 누워 있다.
물론 망자에겐 소유권이 없으니
산자의 이름으로 된 땅이다.

내 땅이란 것이 2

인간들이 땅을 사서
모으기 시작하였다.
이제 지구에 있는 땅의 소유권은
인간의 것이 되었다.
우리끼리 주고받은
문서로 지구를 샀다.

다음엔 달을 사고
그 다음엔 목성을 살 예정이다.
태양도 시장에 나오면
문서 작성하고 명의를 이전 받을 예정이다.

노래라도 부른다면

언어와 문자를 분석하여 보면
각자가 살고자하는 방향에
따라 쓰임을 알 수 있게 된다.
대부분 현실 속에서 치열한 경쟁에서 살다보니
사용하는 언어들이 의식세계의 가치를
표현하는 것 들 뿐이다.
마음속 깊이 시원하게 하여 주는
언어의 희귀성이다.
노래방이라도 가야 힐링할 수 있는
언어와 단어들을 만나게 된다.
노래방이 지천이기에 각박한
세상살이의 힘든 면모를 보여준다.

동심이란

봄날은 시작의 의미가 있다.
꽃을 보면서 아련한 동심을 그려본다.
동심은 꽃이 아름답다는 것을 모른다.
자기를 포함해 온 세상이 아름답기 때문이다.
옷에 온통 흙이 묻어있어도
좁은 골목길은 자기가 사는
넓은 거실인 것이다.
세상이 자기 집이기에
행복해 하는 것이 동심이다.

세상에서 제일 하기 쉬운 것이란

세상에서 제일 하기 쉬운 것
하나는 아마도 자기 생각을
주장하는 것 일 것이다.
세상에서 제일하기 어려운 것
하나는 아마도 자기 생각을
고치는 것일 것이다.
그 중에서 더욱 어려운 것은
타인의 주장을 들어 주는 것 일 것이다.

개미와 베짱이는 1

많이 인용되는 우화이다.
예전에는 개미는 근면의 표상이고,
베짱이는 게으름의 상징 이었는데
지금은 관점에 따라 다르게 보기도 한다.

개미는 부지런하고 희생을 하지만
닫힌 집단만을 위해 일을 한다.
베짱이는 주변에 음악을 들려주니
베짱이가 더 돋보일 수도 있겠다.
음악 속에 일하는 개미와 베짱이를 상상해 본다.

어떤 일을 시작하는데

어떠한 일을 시작하는데
내가 추구하는 두 가지의
가치가 대척점을 이루어
갈등을 할 때는
하나는 시작에 두고
또 다른 하나는 끝에 두는
시간의 정리가 필요하다.

다 맞을 수는 없기에

맞는 것도 있고
틀린 것도 있으니
사람이다.
틀린 것이 있다고
다 틀린 것은 아니다.
맞는 것이 있다면
맞는 것은 인정할 수 있어야
사람이다.

사용하는 언어에 복수개념이 많다면

마음 구조에서
의식의 세계가 비중이 큰 사람이다.
내 안으로의 마음 여행은
내가 나에게로 가는 것이니
홀로 가는 것이기에
단수개념이기 때문이다.

객관적으로 본다고 해도

남을 객관적으로 본다 해도
객관적인 시각을 갖추었다 할 수 없다.
자기 자신을 객관적인 시각으로
볼 수 있는 이가 진정 객관적인 시각을
갖추었다고 할 수 있겠다.
객관적 시각이란 자기도 오류가 있다고
보는 것부터 이기 때문이다.
이는 답안지를 채점할 때 나의 답안지 답도
객관적 답을 가지고 스스로 채점하는 것을 말한다.

똑같이 일을 해도

욕심을 키우는 사람과
욕심을 버리는 사람이 있다.
한 사람은 역사를 쓰는 사람이고
한 사람은 역사를 가꾸는 사람이다.

주관적인 잣대의 황당함이란

멀쩡하게 잘 살고 있는 사람을
주관적인 잣대로 너는 나쁘다,
그러나 불쌍하다, 그래서 용서한다,
말 잘 들으면 사랑한다 한다.
이 얼마나 황당하고, 황당한 일인가?
마음은 이끄는 것이 아니라 감동을
주는 것이어야 제대로 다가간 것이다.
생과 사는 선악의 기준이 아니라
자연의 원리와 질서이기에 용서의
대상이 아님을 알아 차려야 한다.

앙상한 가지라 하지만

잎사귀가 다 떨어져 앙상한 가지만
남아 있으면 불쌍한 것인가?
아닐 것이다. 할 일을 다 했으니
이제 휴식이 필요하다.
다만 수확한 열매를 어떻게 보관했는지가
관건일 것이다.
열매를 수확하여 땅에다만 묻었다면
벌써 무덤을 판 것이나 다름없음을
알아 차려야한다.

질문을 할 때는

질문을 하는 이는
답변자에 대한 배려가 필요하다.
답하는 이는 질문자와 같은 비중으로
답을 말할 수 없기 때문이다.
도움을 주기위한 질문이라도
배려가 필요하다. 상대방이
받을 준비를 해야 하기 때문이다.
결국 마음에서 일어나는 답변은
타인에 대한 배려에서 나옴을
인식하기 바란다.

같은 색깔이라도 덧칠 하지마라

누군가에게 말이나 행동을 할 때는
최소한으로 해야 한다.
아무리 같은 색이라도 계속 덧칠을
하게 되면 결국 검정색이 되고 만다.
선의의 말이라도 오해가 생길 뿐만 아니라
시간 낭비이기 때문이다.
이는 살아가는 일을 하는 경우에도
해당될 것이다. 무지개 색을 만들지
검정색을 만들지는 미묘하지만
차이가 있음을 알아차리기 바란다.

장미꽃 향기와 욕심이란

여기 장미꽃을 파는 이가 있다.
주변에 진한 꽃향기로 가득하다.
한 사람은 한 송이만을 팔고 있다.
그런데 그 사람은 떨이만 외칠 뿐
전혀 향기엔 반응이 없다.

또 한 사람은 아직도 장미꽃이 많이
남아 있다. 족히 수백송이가 넘는다.
아마 가져 올 때 많이 가져 온 것 같다.
그는 연신 꽃향기를 맡으면서 즐거워한다.

과연 누가 욕심이 많은가?
욕심이란 척도는 물질이 많고 적음에 따라
욕심이 많고 적음을 의미하는 것만이
아님을 알아차려야 한다.